D1219001

Nice
Musée National
Message Biblique Marc Chagall

MARC CHAGALL

1887 - 1985

Editions de la Réunion des musées nationaux

Couverture: La Lutte de Jacob et de l'Ange

49, rue Etienne Marcel, 75001 Paris.

ISBN 2 - 7118 - 2460 - 8

A Marc Chagall

Marc Chagall

Maintenant

Toute ma vie j'ai peu prié
A quoi ressemble-t-il, mon Dieu
Où est-il

Tu m'entends, tu me regardes
Je voudrais pleurer, te prier
Mais je suis trop pauvre

Maintenant je suis vieux
Mon Dieu
Tu me prendras vers toi

1972

Pour l'autre clarté

Mon Dieu, pour l'autre clarté
Que tu as donnée à mon âme
merci

Mon Dieu, pour la tranquillité
Que tu as donnée à mon âme
merci

Mon Dieu, la nuit est venue
Tu fermeras mes yeux avant le jour
Et moi je peindrai de nouveau
Des tableaux pour toi
Sur la terre et le ciel

1965

Le message biblique

Depuis ma première jeunesse, j'ai été captivé par la Bible. Il m'a toujours semblé et il me semble encore que c'est la plus grande source de poésie de tous les temps. Depuis lors, j'ai cherché ce reflet dans la vie et dans l'Art. La Bible est comme une résonnance de la nature et ce secret j'ai essayé de le transmettre.

Au fur et à mesure de mes forces, au cours de ma vie, bien que parfois j'aie l'impression que je suis tout à fait un autre; que je suis né pourrait-on dire entre ciel et terre; que le monde est pour moi un grand désert dans lequel mon âme rôde comme un flambeau, j'ai fait ces tableaux à l'unisson de ce rêve lointain. J'ai voulu le laisser dans cette Maison pour que les hommes essaient d'y trouver une certaine paix, une certaine spiritualité, une religiosité, un sens de la vie.

Ces tableaux, dans ma pensée, ne représentent pas le rêve d'un seul peuple mais celui de l'humanité. Ils sont la conséquence de ma rencontre avec l'éditeur français Ambroise Vollard et de mon voyage en Orient. J'ai pensé les laisser en France où je suis né comme pour la deuxième fois.

Ce n'est pas à moi de les commenter. Les œuvres d'art doivent s'exprimer d'elles-mêmes.

On parle souvent de la manière, dans quelles formes, dans quel Mouvement placer la couleur. Mais cette couleur est une chose innée. Elle ne dépend ni de la manière, ni de la forme dans laquelle vous la posez. Elle ne dépend pas non plus de la maîtrise du pinceau. Elle est hors de tous les Mouvements. De tous les Mouvements sont restés seulement dans l'histoire ceux, très rares, qui ont possédé la couleur innée... les mouvements sont oubliés.

La peinture, la couleur, ne sont-elles pas inspirées par l'Amour? La peinture n'est-elle pas seulement le reflet de notre moi intérieur et par cela même la maîtrise du pinceau est dépassée. Elle n'y est pour rien. La couleur avec ses lignes contient votre caractère et votre message.

Si toute vie va inévitablement vers sa fin, nous devons durant la nôtre, la colorier avec nos couleurs d'amour et d'espoir. Dans cet amour se trouve la logique sociale de la vie et l'essentiel de chaque religion. Pour moi, la perfection dans l'Art et dans la vie est issue de cette source biblique. Sans cet esprit, la seule mécanique de logique et de constructivité dans l'Art comme dans la vie ne porte pas de fruits.

Peut-être dans cette Maison viendront les jeunes et les moins jeunes chercher un idéal de fraternité et d'amour tel que mes couleurs et mes lignes l'ont rêvé.

Peut-être aussi y prononcera-t-on les paroles de cet amour que je ressens pour tous. Peut-être n'y aura-t-il plus d'ennemis et comme une mère avec amour et peine met au monde un enfant, ainsi les jeunes et les moins jeunes construiront le monde de l'amour avec un nouveau coloris.

Et tous, quelle que soit leur religion, pourront y venir et parler de ce rêve, loin des méchancetés et de l'excitation.

Je voudrais aussi qu'en ce lieu on expose des œuvres d'art et des documents de haute spiritualité de tous les peuples, qu'on entende leur musique et leur poésie dictées par le cœur.

Ce rêve est-il possible?

Mais dans l'Art comme dans la vie tout est possible si, à la base, il y a l'Amour.

1973

Tu m'as rempli les mains

Je suis ton fils
Sur terre qui marche à peine
Tu m'as rempli les mains
De couleurs, de pinceaux
Je ne sais pas comment te peindre

Faut-il peindre la terre, le ciel, mon cœur
Les villes en feu, les gens qui fuient
Mes yeux en pleurs
Où faut-il fuir, vers qui voler

Celui qui là-bas donne la vie
Celui qui envoie la mort
Peut-être fera-t-il
Que mon tableau s'illumine

La Création

Huile sur toile
H 300; L 200
Signé en bas à gauche: Marc Chagall
MBMC 1

1940 - 1945

Seul est mien

Seul est mien
Le pays qui se trouve dans mon âme
J'y entre sans passeport
Comme chez moi
Il voit ma tristesse
Et ma solitude
Il m'endort
Et me couvre d'une pierre parfumée

En moi fleurissent des jardins
Mes fleurs sont inventées
Les rues m'appartiennent
Mais il n'y a pas de maisons
Elles ont été détruites dès l'enfance
Les habitants vagabondent dans l'air
A la recherche d'un logis
Ils habitent dans mon âme

Voilà pourquoi je souris
Quand mon soleil brille à peine

Ou je pleure
Comme une légère pluie
Dans la nuit

Il fut un temps où j'avais deux têtes
Il fut un temps où ces deux visages
Se couvraient d'une rosée amoureuse
Et fondaient comme le parfum d'une rose
A présent il me semble
Que même quand je recule
Je vais en avant
Vers un haut portail
Derrière lequel s'étendent des murs
Où dorment des tonnerres éteints
Et des éclairs brisés

Seul est mien
Le pays qui se trouve dans mon âme

1945 - 1950

Détail

Huile sur toile
H 185; L 287
Signé en bas à gauche: Marc Chagall
MBMC 2

Le Paradis

Marc Chagall

Départ

Il monte entre nous un mur
Une montagne couverte d'herbe et de tombe
Elle nous a séparés, la main
Qui crée les tableaux et les livres

N'auriez-vous pas vu mon visage
Un visage sans corps en pleine rue
Il n'est personne ici qui le connaisse
Son appel sombre comme dans un gouffre

J'ai cherché mon étoile parmi vous
J'ai cherché l'autre bout de votre monde
J'ai voulu avec vous devenir plus fort
Vous avez fui, effrayés

Comment dirai-je un dernier mot
Pour vous, qui vous êtes perdus
Je n'ai plus sur terre de lieu
Où aller, vers où voyager

Que mes larmes sèchent
Et que mon nom sur la pierre s'efface
Je deviendrai, comme vous, une ombre
Et je me déferai comme fumée

1942

Détail

Huile sur toile
H 190; L 284
Signé en bas à droite: CHAGALL
MBMC 3

Adam et Eve chassés du Paradis

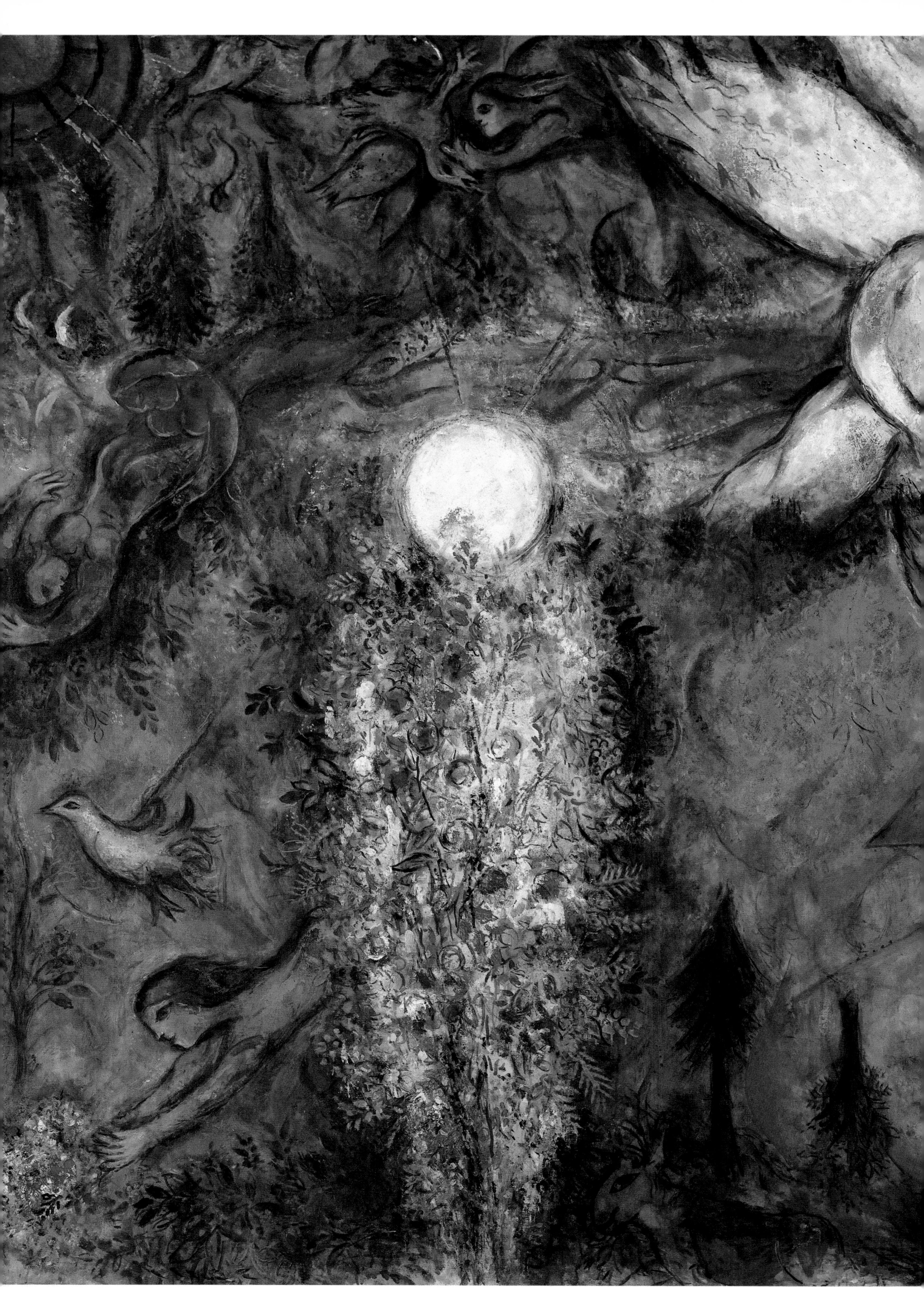

Chagall

Je ne sais pas

Je ne sais pas si j'ai vécu. Je ne sais pas
Si je vis. Je regarde le ciel
Je ne reconnais pas le monde

Mon corps passe dans l'ombre
L'amour, les fleurs, les tableaux
Me font aller et venir

Ne laisse pas ma main sans lumière
Quand la maison sera plus sombre
Comment verrai-je ta blancheur

Comment t'entendrai-je appeler
Quand je n'aurai plus avec moi
Que la nuit qui tremble

Huile sur toile
H 236; L 234
Signé en bas à gauche: Marc Chagall
MBMC 4

L'Arche de Noé

En héritage

Le père, il me semble le voir
Sous la terre, au loin
Toute la nuit il priait
Séparé de tout
L'acier l'a fini

Dans la synagogue, tu attendais les miracles
Tombait une larme, amère, dans ta barbe
Pour Abraham, Isaac, pour Jacob le doux
Ton cœur versait une prière

Toute une vie tu as peiné
Et pleuré de tes mains
Dans la chambre, silencieux
Tu partageais le pain pour les enfants

En héritage tu m'as laissé
Ta veille odeur dispersée
Ton sourire m'a nourri
Ta force est passée en moi

Détail

Huile sur toile
H 205; L 292,5
Signé en bas à gauche: Marc Chagall
MBMC 5

Noé et l'Arc-en-ciel

Marc Chagall

Avec du bleu, du rouge, du jaune

J'ai peint les murs clairs
J'ai peint les musiciens, les danseurs en scène
Avec du bleu, du rouge, du jaune
Pour vous, j'ai peint le tabernacle

Jouez, chantez, bondissez
Vous jouiez le rôle du vieux Roi
Avec moi. Vous m'engloutissiez
On riait aux larmes

Avec vous, silencieux
Nous sauterons jusqu'à la lune
Dans la nuit blanche
On entendra de nouveau notre voix

1930 - 1935

Détail

Huile sur toile
H 190; L 292
Signé en bas à gauche: CHAGALL MARC
MBMC 6

Abraham et les trois Anges

Chagall

Derrière les nuages

Dans la nuit quelqu'un dit
Ne mêle pas mots et couleurs
Fleurs et soleil
L'âme derrière les nuages
A peine éclaire, vole et fuit

Quelqu'un dit
N'attends pas trop de lumière
Sur la route
Tes larmes, tu les boiras seul
Au bout du chemin

Quelqu'un m'a dit
Il ya là-bas aux aguets
Une croix
Un cavalier d'en haut venu
M'enlève dans ses bras

1950 -1955

Huile sur toile
H 230; L 235
Signé en bas à gauche: MARC CHAGALL
MBMC 7

Le Sacrifice d'Isaac

Sur l'échelle de Jacob

Le monde où je vis est fermé
La lumière baisse
La nuit chemine
Où cacherai-je mes couleurs

Mes larmes, où les verser
La dernière joie, mon dernier regard
Aborde au pays de mes frères
Je monte, je descends vers eux

Mon rêve sur l'échelle de Jacob
Vois comme je tire ma croix
Le tableau longtemps fatigué chante
Pleure entre ciel et terre

Tous mes tableaux épars au cimetière
Monte une odeur de cierges éteints
Partout accourent des musiciens morts
Ils disent la prière des défunts

1968

Détail

Huile sur toile
H 195; L 278
Signé en bas à droite: MARC CHAGALL
MBMC 8

Le Songe de Jacob

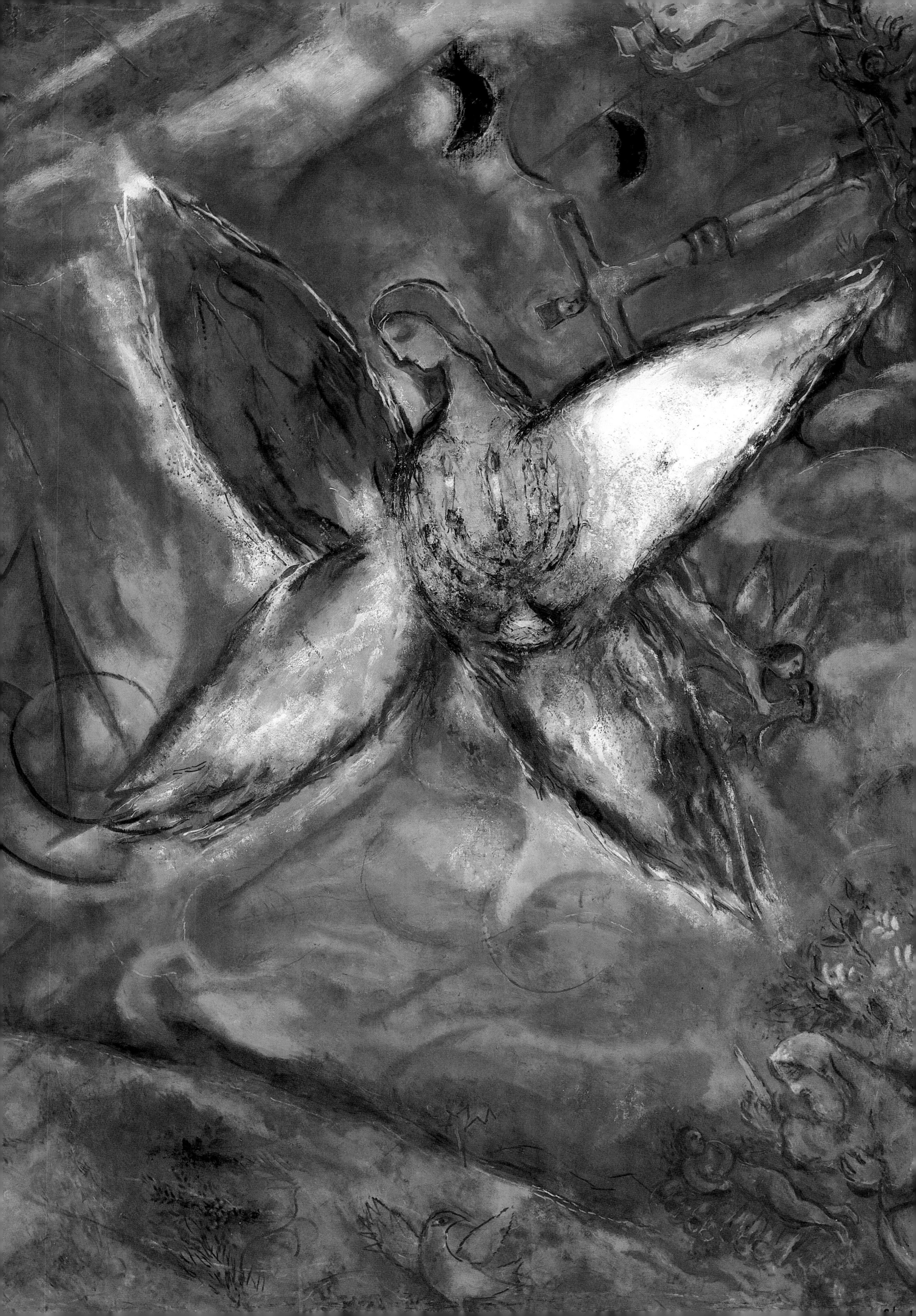

Comme un barbare

Là où se pressent des maisons courbées
Là où monte le chemin du cimetière
Là où coule un fleuve élargi
Là j'ai rêvé ma vie

La nuit, il vole un ange dans le ciel
Un éclair blanc sur les toits
Il me prédit une longue, longue route
Il lancera mon nom au-dessus des maisons

Mon peuple, c'est pour toi que j'ai chanté
Qui sait si ce chant te plaît
Une voix sort de mes poumons
Toute chagrin et fatigue

C'est d'après toi que je peins
Fleurs, forêts, gens et maisons
Comme une barbare je colore ta face
Nuit et jour je te bénis

Huile sur toile
H 249; L 205
Signé en bas à gauche: Chagall
MBMC 9

La Lutte de Jacob et de l'Ange

Où est le jour

Passe un Juif au visage de Christ
Il crie: le fléau sur nous
Courons nous cacher dans les fosses
Nous nous battrons courbés

Un mendiant court avec sa besace
Nous ne voulions que gagner notre pain
Où es-tu, Dieu? La mort avance
Descends et dis-nous un sermon

Un vieillard dans son châle blanc
Tombe avec son livre de psaumes
La misère lui coule des yeux
Rends-lui la vie, mon Dieu

Pitié. Relève ton peuple
Où est le jour où tu l'as élu et béni
Où est la colombe de l'Arche
Qui nous ouvre l'avenir

Détail

Huile sur toile
H 195; L 312
Signé en bas à gauche: CHAGALL
MBMC 10

Moïse devant le Buisson Ardent

Chagall

A terre

On chasse de partout mon peuple
Sa couronne est à terre
A terre le signe de David
Où est son auréole, son honneur

De ses mains il condamne le ciel
Il piétine son exil
Un éclair consume sa misère
Il s'avance avec l'épée

Si tu dois être détruit
Pour expier le Temple en ruine
Se lèvera une autre étoile
Et de tes yeux volera une colombe

Je voudrais exaucer ton rêve
Montrer une autre vérité
Prendre à ta lumière
Mes couleurs

1940 - 1945

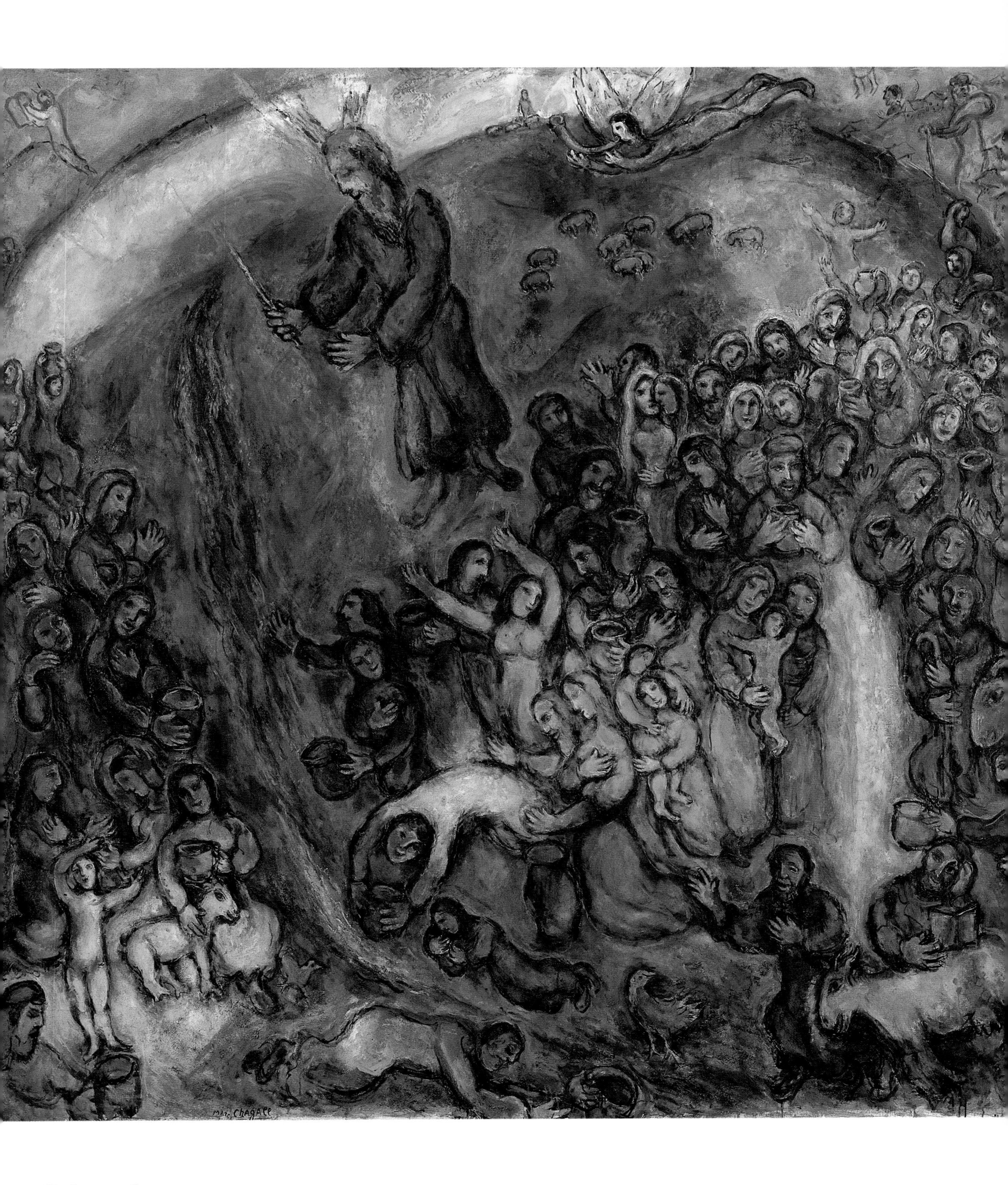

Huile sur toile
H 236; L 232
Signé en bas à gauche: MARC CHAGALL
MBMC 11

Le Frappement du Rocher

Sans larmes

Mon peuple, tu es sans larmes
Ni la nuée ni l'étoile ne nous guident plus
Il est mort, notre Moïse, il s'enfonce
dans les sables
Il a donné, repris la Terre promise

Les derniers Prophètes sont muets
Ils sont enroués de crier pour vous
On n'entend plus le bruit de leurs paroles
Qui ont coulé de leur bouche comme un fleuve

Tous veulent dans ton cœur briser les Tables
Fouler aux pieds ta vérité et ton Dieu
Un mond coupable veut voler ta force
Et ne plus te laisser de place que sous la terre

Huile sur toile
H 238; L 234
Signé en bas à gauche: CHAGALL MARC
MBMC 12

Moïse recevant les Tables de la Loi

Pour Vava

Avec toi je suis jeune
Quand là-bas les arbres menacent
Et le ciel se fait plus lointain
Tes yeux me touchent

Quand chaque pas se perd dans l'herbe
Quand chaque pas marche sur les eaux
Quand les vagues frémissent dans ma tête
Et quelqu'un des nuages m'appelle

Avec toi je suis jeune
Mes années tombent comme feuilles
Quelqu'un colore mes tableaux
Ils brillent près de toi

Le sourire sur ton visage
Plus clair que les nuées
Je cours où, pensive
Tu m'attends

1965

Huile sur papier, collé sur toile
H 148; L 172
Signé en bas à gauche: MARC CHAGALL
MBMC 13

Le Cantique des Cantiques I

Mon amour

Où est-il, mon amour
Où est mon rêve
Où est la joie
De toutes mes années jusqu'au couchant

A chaque pas je te vois
Je te vois dans mon sommeil
Je te vois dans ma tristesse
Je te vois dans la solitude

Nuit et jour je t'entends
Je t'entends dans le moindre bruit
Je t'entends quand on m'appelle
Je t'entends silencieuse

1968

Huile sur papier, collé sur toile
H 140; L 164
Signé en bas à droite: CHAGALL MARC
MBMC 14

Le Cantique des Cantiques II

La ville

Elle sonne en moi
La ville au loin
Ses synagogues, ses églises blanches
Porte ouverte, le ciel fleurit
La vie s'envole, s'éloigne

Elles languissent en moi
Ses ruelles tortueuses
Les tombes grises de la colline
Leurs pieux morts enfouis

Couleurs et taches
Ombre, lumière
Mon tableau là-bas
Je veux m'en couvrir le cœur

Je marche en loques, en flammes
Les éclairs des années
Ce que je peins me vient en rêve
Je marche, je me perds

Ne me cherchez aujourd'hui ni demain
Je suis parti loin de moi
Je suis
Dans une fosse de larmes

1930 - 1935

Détail

Huile sur papier, collé sur toile
H 149; L 210
Signé en bas à gauche: Marc Chagall
MBMC 15

Le Cantique des Cantiques III

Marc
Chagall

J'ai oublié mon nom

Quand viendras-tu, mon heure
Quand me dénouerai-je comme bougie
Quand te rejoindrai-je, ma lointaine
Quand me rejoindra mon repos

Je ne sais si j'avance
J'ai oublié mon nom
J'ai oublié mon lieu
Ma tête et mon âme, où sont-elles

Regarde, mère, ma morte
Ton fils qui sombre
Regarde, ma couronne aimée
Silencieux, profond
Mon soleil qui descend

1950 - 1955

Détail

Huile sur papier, collé sur toile
H 145; L 211
Signé en bas à droite: MARC CHAGALL
MBMC 16

Le Cantique des Cantiques IV

Marc
Chagall

J'habite ma vie

Dans mes tableaux
J'ai caché mon amour
J'habite ma vie
Comme l'arbre la forêt

Qui entend ma voix
Qui aperçoit mon visage
Enfoui dans la lumière de la lune
Comme un mort d'il y a mille ans

Ma mère m'a fait un don
Il rayonne dans mon corps

Je n'ouvre pas la bouche
Pour que mon cœur ne se sauve
Et ne pas me lamenter
Comme un oiseau dans la nuit

Dans mes tableaux
J'ai peint mon amour
Les anges le voient
Et les fiancées qui ne sont pas allées
Vers le dais de mariage

Le parfum d'une fleur
Allume les bougies
En bleu se lève
Le jour de ma naissance
Mes rêves je les ai cachés
Sur les nuages
Mes soupirs
Volent avec les oiseaux

Je me vois immobile et en marche
Je me défais
Devant le feu qui vient du monde
Mon amour est comme de l'eau dispersée
Aux quatre coins

1965

Détail

Huile sur papier, collé sur toile
H 150; L 226
Signé en bas à gauche: CHAGALL MARC
MBMC 17

Le Cantique des Cantiques V

Chagall Marc

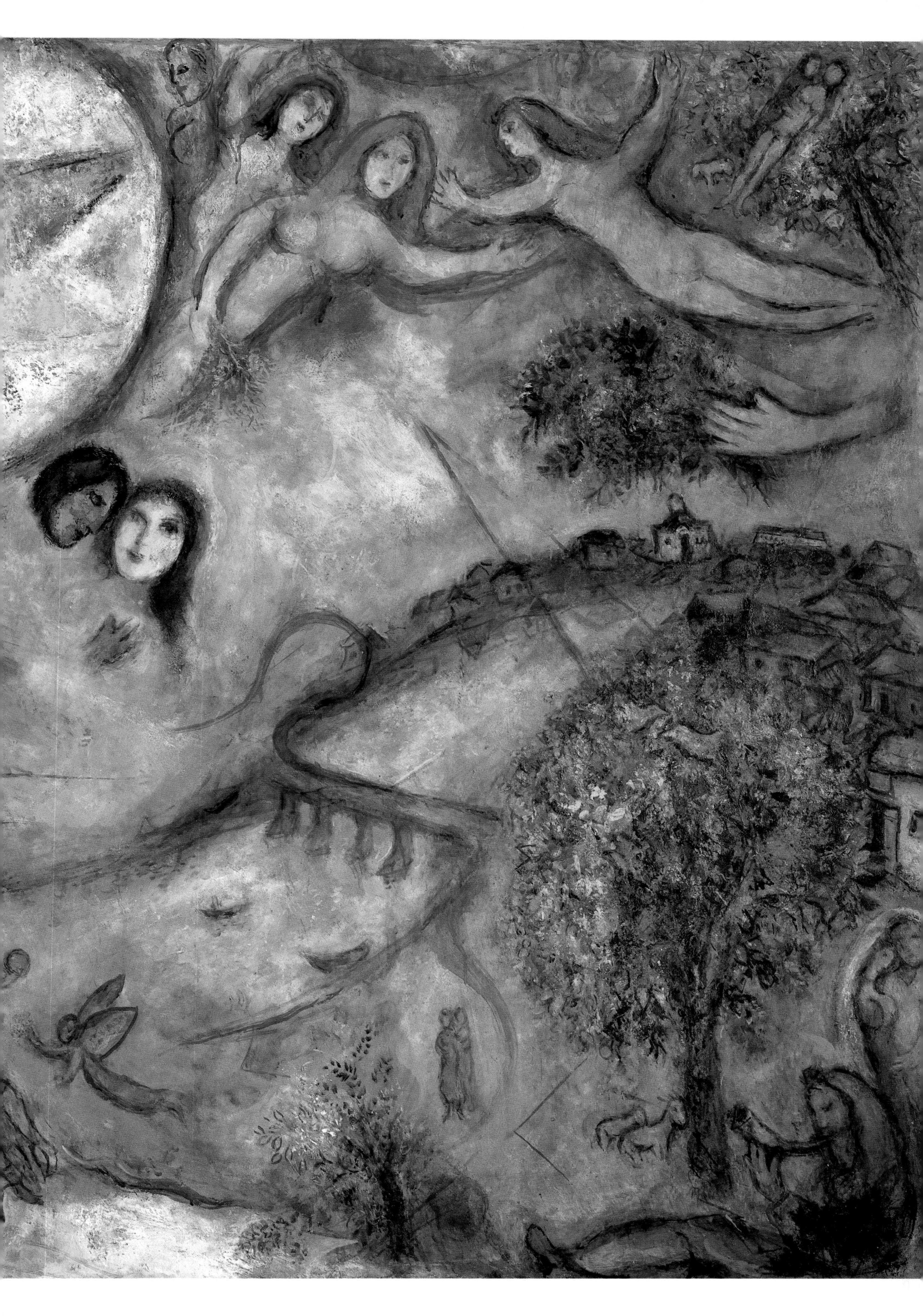

Derrière moi vont mes tableaux

1960 - 1965

Biographie

1887 — Naissance, le 7 juillet à Lyozno près de Vitebsk, de Marc Chagall, aîné d'une famille de neuf enfants.

1906 — Entre dans l'atelier du peintre Jehuda Pen à Vitebsk.

1906-1907 — Séjour à Saint-Pétersbourg. Intègre l'école de la Société Impériale pour la protection des Beaux-Arts, dirigée par Nicolas Roerich.

1908-1909 — Travaille à l'école Zvantseva, dirigée par Léon Bakst. Rencontre son futur mécène Max Vinaver.

1909 — Rencontre Bella Rosenfeld, sa future femme.

1910 — Expose avec les élèves de l'école Zvanstseva, dans les bureaux de la revue *Apollon*. Assiste Bakst pour les décors du ballet *Narcisse*. Vinaver lui offre une bourse. Départ pour Paris.

1911-1912 — Habite Impasse du Maine. Fréquente l'Académie de *La Grande Chaumière*.

1912 — S'installe dans un des ateliers de *La Ruche*. Rencontre Delaunay. Max Jacob, André Salmon, Guillaume Apollinaire; se lie d'amitié avec le poète Blaise Cendrars. Premiers chefs-d'œuvre: *A la Russie, aux ânes et aux autres, Moi et le Village, Hommage à Apollinaire*. Le poète lui dédie le poème « Rodsoge ».

1913-1914 — Expose au salon des Indépendants, *Naissance, Adam et Eve, Le violoniste, L'Autoportrait aux sept doigts*. Expose à Moscou à la « Queue d'Ane ». Première exposition particulière en juillet 1914 à Berlin, galerie Der Sturm organisée par Herwarth Walden.

1914-1915 — Déclaration de guerre. Chagall retourne à Vitebsk. Epouse Bella Rosenfeld. Expose au salon de Moscou.

1916 — Naissance de sa fille Ida. Séjourne à Moscou et expose au « Valet de Carreau ».

1917 — Révolution d'Octobre

1918 — Nommé par Lounatcharsky directeur d'une école des Beaux-Arts à Vitebsk et Commissaire des Beaux-Arts. Organise les cérémonies d'anniversaire de la Révolution bolchévique, et les décors urbains de Vitebsk.

1919 — Pougny, Doboujinsky, Pen rejoignent l'équipe d'enseignants constituée par Chagall pour l'académie des Beaux-Arts de Vitebsk. El Lissitsky et Malevitch les rejoignent. Conflit avec Malevitch.

1920-1922 — Quitte Vitebsk pour Moscou. Projet de maquettes du théâtre juif Kamerny: *Introduction au théâtre juif. La Littérature, La Danse, La Musique, La Table du mariage*. Enseigne le dessin dans les colonies d'orphelins de guerre.

1922-1923 — Quitte la Russie pour Kaunas puis pour Berlin.
Deux œuvres exposées Galerie Van Diemen à Berlin.

1923 — Paul Cassirer lui demande d'illustrer le récit autobiographique *Ma Vie*.
S'initie à la gravure avec Hermann Struck. Cassirer publie le premier portfolio des gravures de *Ma Vie*. Quitte Berlin pour Paris.

1924-1925 — S'installe 101 avenue d'Orléans à Paris. Retrouve Sonia et Robert Delaunay. Vollard lui commande l'illustration des *Ames mortes* de Gogol.
Première exposition parisienne galerie Barbazange — Hodebert, où il rencontre André Malraux.

1925-1926 — Vollard lui commande l'illustration des *Fables de La Fontaine*. Première exposition à New York Galerie Reinhart.

1926-1927 — Série des gouaches préparatoires aux gravures des *Fables*. Suite du *Cirque*. Exposition galerie Tretiakov à Moscou: gouaches des *Ames mortes*.

1928-1930 — Achève les gravures des *Fables* de La Fontaine. Vollard lui commande l'illustration de *La Bible*.

1931-1932 — Séjour en Palestine, avec son épouse Bella et sa fille Ida. Rencontre les poètes juifs Chaim Bialik et Edmond Fleg. Peint des sites bibliques. Commence les gouaches préparatoires aux gravures de La Bible.

1932 — Voyage en Hollande. Étudie Rembrandt.

1933 — Première exposition rétrospective à la Kunsthalle de Bâle. Autodafé de ses œuvres à Mannheim par les nazis. Peint *Solitude*.

1934-1936 — Voyage en Espagne où il étudie Le Greco, et en Pologne.

1937 — Obtient la nationalité française avec l'aide de Jean Paulhan et de Jean Zay.
Séjourne en Italie, où il travaille aux gravures de *La Bible*.

1938 — Expose au Palais des Beaux-Arts de Bruxelles. Peint *La Crucifixion blanche*.

1939 — Obtient le prix de la Fondation Carnegie. Déclaration de guerre. Se replie à Gordes, dans le sud de la France.

1940 — *Révolution* exposé Galerie Mai sous le titre *Composition*.

1941 — Sous la pression de Varian Fry directeur de l'*Emergency Rescue Committee*, de Harry Bingham Consul général des Etats-Unis à Marseille, et de sa fille Ida, quitte la France pour les États-Unis. 23 juin: arrivée à New York.

1941-1942 — Retrouve les artistes et les écrivains réfugiés aux États-Unis. Léger, Masson, Mondrian, Breton, Bernanos, Maritain. Travaille avec Léonide Massine aux décors et costumes du ballet *Aleko*, créé en septembre 1942 à Mexico et en octobre 1942 à New York.

1943 — Rencontre l'acteur russe Michoels et le poète Itzik Feffer, envoyés en mission aux Etats-Unis par le gouvernement soviétique. Illustre les poèmes d'Itzik Feffer rédigés en yiddish, *Rojtarmeish* et *Heimland*. Tableaux inspirés de la guerre et de la persécution: *Guerre, Obsession, La Crucifixion jaune*.
Travaille avec *Stanley William* Hayter. Expositions à la galerie Pierre Matisse.

1944 — Mort de Bella, son épouse.

1945-46 — Décors et costumes pour le ballet *l'Oiseau de feu*. Rétrospective de l'œuvre au Museum of Modern Art à New York, et à l'Art Institute à Chicago. Commence les lithographies des *Mille et une nuits*.

1947 — Retour en France pour l'exposition organisée par Jean Cassou au Musée national d'art moderne. Exposition au Stedelijk Museum d'Amsterdam.

1948 — Retour définitif en France.
S'installe d'abord à Orgeval près de Paris. Grand prix de Gravure à la Biennale de Venise. Exposition à la Tate Gallery, à Londres.

1949 — Rejoint Tériade à Saint-Jean Cap Ferrat, dans le mide de la France. Séduit, décide de s'installer à Saint-Jeannet puis à Vence.

1950 — Exposition galerie Maeght. Illustration du *Decameron* de Bocacce pour la revue *Verve* (n° 24). Illustrations pour *Derrière le Miroir* (n° 27/28).
Exposition à Zurich, au Kunsthaus.

1951 — Expositions à Berne, à la Kunsthalle, à Jérusalem, Tel Aviv et Haïfa.

1952 — Épouse Valentina (Vava) Brodsky, le 12 juillet. Voyage en Grèce, gouaches pour *Daphnis et Chloé* dont l'illustration lui est demandée par Tériade.

1953 — Rétrospective à Turin, Palais Madame.
Exposition de l'œuvre graphique à l'Albertina de Vienne.

1954-1955 — Commence la suite du *Message Biblique*.

1956 — *La Bible*, est publiée par Tériade en deux volumes (105 eaux-fortes).

1957-1958 — Achève les vitraux et la céramique de la chapelle d'Assy, en Haute-Savoie.
Décors et costumes pour le ballet *Daphnis et Chloé* à l'Opéra de Paris. Rencontre Charles Marq et Brigitte Simon, maître verriers. Commence les maquettes des vitraux de la cathédrale de Metz.

1959-1960 — Docteur Honoris Causa de l'Université de Glasgow. Maquettes des vitraux pour la synagogue du Centre médical Hadassah à Jérusalem. Exposition à Paris, musée des arts décoratifs. Peint, *Commédia dell'arte*, pour le foyer du théâtre de Francfort. Exposition à Reims.

1961-1962 — Exposition des vitraux de la synagogue du Centre Hadassah de Jérusalem, à Paris et à New York. Exposition *Chagall et la Bible* au musée Rath à Genève. L'œuvre lithographié se développe avec l'aide de Charles Sorlier.

1963-1964 — Le plafond de l'Opéra de Paris lui est commandé par André Malraux. Vitrail pour le siège des Nations-Unies à New York, vitraux pour la chapelle Rockefeller à Pocantico Hills.

1965 — Décors et costumes pour la *Flûte enchantée* de Mozart. Peintures murales du Metropolitan Opera à New York.

1966 — Marc et Valentina Chagall s'installent à Saint-Paul-de-Vence. Donation du *Message Biblique* de l'Etat français. La décision de construire un musée est prise.

1967 — Exposition de la donation Marc et Valentina Chagall au Louvre, à Paris.

1968 — Mosaïque pour la faculté de Droit de l'Université de Nice, *Le Message d'Ulysse*. Publication des *Poèmes*, et des gravures sur bois les illustrant, par l'éditeur genevois Gérald Cramer.

1969-1970 — Exposition rétrospective *Hommage à Marc Chagall* au Grand Palais à Paris.
L'Œuvre gravé, exposé à la Bibliothèque Nationale. Vitraux pour l'église du Fraumünster, à Zurich.

1971-1973 — Le Musée National Message Biblique est en cours de construction. Il est inauguré le jour anniversaire de l'artiste, le 7 juillet 1973 en présence d'André Malraux. La même année Chagall retourne à Moscou, pour une exposition galerie Trétiakov.

1974-1977 — Achève la monumentale mosaïque *Les quatre saisons* pour la First National Plaza à Chicago. Suite des lithographies pour *La Tempête* de Shakespeare. Mosaïque à la chapelle Sainte-Roseline aux Arcs (Var). Vitraux de Sarrebourg, de l'Art Institute de Chicago. Grand Croix de la Légion d'Honneur.

1978 — Exposition à Florence, Palais Pitti. Premiers vitraux pour l'église Saint Etienne de Mayence en Allemagne et pour la cathédrale de Chichester en Angleterre.

1979 — Eaux-fortes pour les *Psaumes de David*, éditées par Gérald Cramer à Genève.

1980 — Décore le clavecin offert par les *Americain friends of Chagall Biblical Message*.

1981-1983 — Réalise pour Aimé Maeght, quatorze lithographies au format 120 × 80 cm.
Rétrospective au Moderna Museet à Stockholm; au Louisiana Museum à Copenhague.

1984 — Trois grandes expositions célèbrent le 97e anniversaire de l'artiste: Paris, Centre Georges Pompidou, *Œuvres sur papier*; Saint-Paul, Fondation Maeght, *Marc Chagall*, rétrospective de l'œuvre peint; Nice, Musée National Message Biblique, *Vitraux et Sculptures*.

1985 — La santé de l'artiste décline. Il meurt, à son domicile, après une ultime séance de travail avec Charles Sorlier, le 28 mars. 1er avril: émouvantes funérailles de Chagall, à Saint-Paul, en présence de Jack Lang, Ministre de la Culture.

1988 — Exposition de la dation Chagall au Musée national d'art moderne Centre Georges Pompidou à Paris et au Musée National Message Biblique Marc Chagall à Nice.

Editions: Jaca Book

Conception: Sylvie Forestier

Maquette: Cécile Neuville

Photographie: Elio Ciol, Patrick Gerin

Photogravure: Mediolanum Color Separation, Milano, Italy

Achevé d'imprimer en mai 1996
sur les presses de l'imprimerie Puntografico Brescia ITALY

Dépot légal 1996
ISBN 2 - 7118 - 2460 - 8
GK 29 2460